LLYFRAU LLOERIG

TAWELWCH!

taranodd Miss Tomos

Golygydd:
Myrddin ap Dafydd

B a r d d o n i a e t h   i   b l a n t

GWASG **Carreg Gwalch**

Golygydd: Myrddin ap Dafydd

(h) y testun: yr awduron

(h) y lluniau: Siôn Morris

Argraffiad cyntaf: Mai 1999
Ail-argraffiad: Mai 2002

Cyhoeddwyd dan gynllun comisiynu Cyngor Llyfrau Cymru

Dymuna'r cyhoeddwyr gydnabod cymorth
Adrannau Cyngor Llyfrau Cymru.

Panel Golygyddol Llyfrau Lloerig:
Hywel James, Rhiannon Jones, Elizabeth Evans

Rhif Llyfr Safonol Rhyngwladol:
0-86381-568-5

Argraffwyd a chyhoeddwyd gan Wasg Carreg Gwalch,
12 Iard yr Orsaf, Llanrwst, Dyffryn Conwy
☎ (01492) 642031 Ffacs: 01492 641502
e-bost: llyfrau@carreg-gwalch.co.uk
lle ar y we: www.carreg-gwalch.co.uk

Cynnwys

Cyflwyniad

Ysgolion. Maen nhw'n rhan o'n profiadau ni i gyd. Ynddyn nhw mae'r camau cyntaf wedi'u cymryd mewn sawl maes. Mae ynddyn nhw chwarae a chwerthin a chwmni. Gobeithio bod llawer o hwyl a miri bywyd ysgol yn byrlymu drwy'r casgliad hwn o gerddi.

Mae mewn ysgolion yn ogystal lawer o bethau nad ydym yn eu deall. Dim ots faint o addysg gawn ni na faint ydi'n hoedran ni, mae rhai pethau ynglŷn ag ysgolion, y drefn, athrawon, plant mawr, plant bach a rhai pynciau fydd yn ein taro'n od ar hyd ein hoes. Mae'r pethau od yn amlwg iawn yn y casgliad hwn yn ogystal.

Myrddin ap Dafydd

Beth os . . .

Beth os ydw i'n codi'n hwyr?
Beth os ydw i'n anghofio fy mrechdanau?
Beth os ydw i'n cael ffit binc?
Beth os ydw i'n nhraed fy sanau?

Beth os ydw i'n colli'r bws?
Beth os ydw i'n cwympo?
Beth os ydw i'n colli 'mhwrs?
Beth os ydw i'n cael fy herwgipio?

Beth os ydw i'n colli 'nhymer?
Beth os oes neb yn fy hoffi?
Beth os ydw i'n colli fy lle yn y rhes?
Beth os oes yno fwli?

'Gareth! Gareth! Tyrd! Paid â chuddio!
Mae'n bryd iti fynd! Ti yw'r prifathro!'

9

Gwyn Morgan

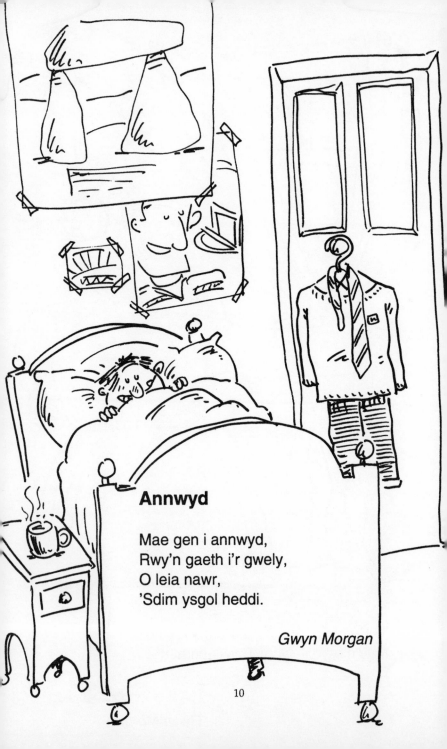

Annwyd

Mae gen i annwyd,
Rwy'n gaeth i'r gwely,
O leia nawr,
'Sdim ysgol heddi.

Gwyn Morgan

10

Pethau gwyllt ydi mamau

Pethau gwyllt ydi mamau
Yn mynd am y gorau
Wrth yrru i'r ysgol,
'Hei! Mam,' meddwn i'n siriol:
'Rydych chi rywfodd
'Di anghofio diffodd
Y gril dan y platiau . . .
Efallai bydd fflamau!'

Yn lle diolch a gwenu
Ces i lond pen a gwgu;
Y tro nesa, gwell tewi
A gadael i'r tŷ losgi
. . . a llosgi
ac wedyn fe ddysgith hi wers.

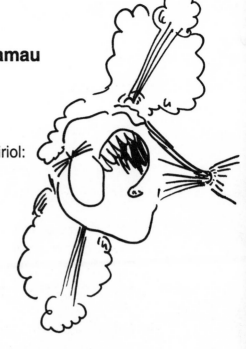

Gwyn Morgan

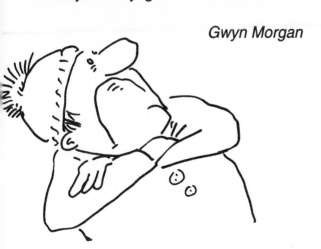

Y sgidie

Mae Gwen wedi cael sgidie newydd
'Run fath â'r plant eraill i gyd;
O, pam rydw i mor wahanol
Yn gwisgo yr hen rai o hyd?

Mae'r trenars 'ma nawr mor henffasiwn,
Rhyw sgidie a brynodd fy nain,
'Se well gen i fyw ar y lleuad
Na mynd am yr ysgol yn rhain.

Mae'n gas gen i godi'n y bore
A gwisgo hen drenars mawr du –
Bydd pawb yn y tacsi yn chwerthin
A minnau a 'mhen yn fy mhlu.

12

Di Mam ddim yn dallt dim am sgidie –
Mae hi'n dal i wisgo bwtîs,
Stiletos i'r Cyngerdd a'r Capel –
Mae'n cerdded fel tase'i ar sgîs.

Dydd Sadwrn mi ofynna'n garedig
Am lifft lawr i siop sgidie Den;
Mae Dad yn fy sbwylio, dwi'n gwybod,
Ga i sgidie 'run fath â rhai Gwen.

Eilir Rowlands

Bwli

'Hwyr i'r ysgol eto, y cena bach drwg!
Dos i eistedd fan acw yn nhwll y mwg,
Rho dy fys ar dy geg a chyfra i gant –
Fil o weithia.
Mi ddysga i chi blant
I gyrraedd yr ysgol cyn amser y gloch.'

Llais Mr Lambastio yn gweiddi'n groch;
Ac nid arnaf fi mae'r bai 'mod i'n hwyr.
Wrth gerdded i'r ysgol anghofiais yn llwyr
Fy mod i 'di symud i ysgol y dre,
Ac es, fel y llynedd, yn ôl i'r hen le –
I'r ysgol plant bach, lle o'n i mor hapus,
Lle, os o'n i weithiau yn blentyn anghofus,
Byddai'r athro yn chwerthin
Ac yn dweud 'Paid â phoeni',
Dim gwylltio a gweiddi
Ac wedyn fy nghosbi.

Mae'n bryd i mi ddysgu i Mr Lambastio
Nad oes lle yn yr ysgol i un sydd yn bwlio.
Mi a' i adra i nôl fy mrawd Nacaiama,
A 'nghefnder Swmota
A'i frawd o, Tayama,
A gawn ni weld wedyn pwy sy'n credu mewn bwlio
Wedi wynebu fy nheulu sy'n ymladdwyr Sumo!

15   *Lis Jones*

Cwestiwn?

'Beth sy'n ddu ac yn wyn
Ac yn rowlio?' meddai Twm Tŷ Pella.
'Wn i ddim,' meddwn innau'n syn,
'Hy – lleian yn bwrw'i thin dros 'i phen
Wrth syrthio i lawr grisia.'
Un ar y naw ydi Twm Tŷ Pella,
A'i gwestiwn newydd sbon bob bora.

Selwyn Griffith

Gweddi'r Athrawon

Gad i'r plant sydd dan ein gofal
Gribo'u gwallt a 'molchi'n amal,
Dod i'r ysgol mewn da bryd,
Chwythu trwyn a dod ynghyd
I wasanaeth bore'n barchus
Heb ryw ruthro afreolus.
Boed pob un yn hawdd i'w drin
Heb rieni cegog, blin.
Rho im ddyddiau llawn o gysur
Efo plant sy'n weithgar-brysur,
Plant sy'n gallu ysgrifennu,
Cyfri, darllen a sillafu.
Dyro im blant distaw, clyfar –
Dyma, Dduw, o hyd fy mhadar.

Valmai Williams

Dim gwersi heddiw . . .

. . . yn y wers maths cefais broblemau lluosog;
yn y wers hanes cefais y dyddiad yn anghywir;
yn y wers ddaearyddiaeth ro'n i'n fy myd bach fy hun;
yn y wers farddoniaeth methais godi o'r gadair;
yn y wers gelf ro'n i'n ddi-lun;
yn y wers gwaith tŷ yn teimlo fel cadach;
yn y wers gyfrifiaduron ro'n i'n hollol blanc;
yn y wers dechnoleg ro'n i'n nyts;
yn y wers addysg gorfforol doeddwn i ddim yn gêm;
yn y wers trin coed ro'n i'n teimlo'n groes i'r graen;
yn y wers ddrama ro'n i'n actio'n wirion;
yn y wers iaith ro'n i mewn coma;
yn y wers gerddoriaeth rhoddais y ffidl yn y to;
mae staff y gegin yn fflat fel crempog;
croesodd y ddynes lolipop i'r ochr draw;
ciciodd y gofalwr y bwced,
ac yn waeth na'r cyfan,
disgynnodd y prifathro o ben ysgol . . .

Huw Daniel

18

Yma neu ddim?

Oes rhywun fedr
Egluro 'cofrestr'?
Llyfr heb eiriau,
Llyfr heb luniau,
Ond llyfr llawn straeon
Am ddisgyblion!

Yn y bora
Os atebwch 'Yma'
Rydych yn bresennol;
Os nad atebwch
Rydych yn absennol.

Ond os ewch at y deintydd
Rydych yn bresennol
Er eich bod yn absennol.
Os ewch chi i arholiad piano,
Rydych yn dal yno
Er nad ydych yno.

Ond dyna biti!
Chewch chi ddim colli
I bethau liciwch chi
Fel – mynd i'r caea
Am bêl-droed efo'r hogia!

O! Na!
Mae hyn
Yn BERYGLUS
ACHOS
Mae hyn
Yn DDIAW . . .
Yn DDIAWDURDODEDIG!

Dorothy Jones

21

Y *Pen-knife*

Clywais am y *Pen-knife*
Ymhell cyn diwrnod un
Yn ysgol fawr y dyffryn:
Roedd gennyf ofn y dyn.

'Bydd rhaid i ti fyhafio,'
Medd Ffred y ffwlcyn ffôl,
'Neu cei dy anfon ato
A falle na ddoi'n ôl!'

Breuddwydiais am gleddyfau
A llafn a chosb a chur,
Mewn hunllef, cawn fy hunan
O flaen y gyllell ddur.

Ond yna – gweld y golau:
Rwy'n llawer gwell yn awr –
Nid bwli yw y *Pen-knife*
Ond *Pen-naeth* yr ysgol fawr!

Carys Jones

22

Blwyddyn 0

Does dim llawer o hufen
mewn llaeth sgim.
Does dim llawer o sens
gan Yncl Jim.
Does dim llawer o frêcs
gan y car mawr chwim.
Does dim llawer o gentimetrau
i sgert Kim.
Does dim llawer o ddyfodol
i blant di-ddim.
Does dim llawer o fraster
gan athrawes slim.
A does dim llawer o ddim byd
yn perthyn im . . .

. . . oherwydd rwyf i
ym Mlwyddyn 0.

Myrddin ap Dafydd

23

Plant ydi plant

Roedd plant Blwyddyn Pedwar o Amlwch
I gyd wedi dal rhyw hen salwch,
    Bob tro dôi yn adeg
    Cael gwers Fathemateg,
Roedd pawb yn ei ddyblau yn peswch!

Aeth plant ysgol gynradd Drenewydd
Am dro gyda Miss i ben mynydd,
    Daeth niwl fel sŵp pys –
    Codwyd pabell ar frys
A welodd neb mo'nynt am ddeuddydd!

24

A glywsoch am blant ysgol Bermo –
Pob un eisiau salad i ginio!
    Llond lorri o letys,
    Hanner tunnell o fetys –
A lindysen fawr, dew i'r prifathro!

Dorothy Jones

Triwant

Dwi'm isio gwybod am y sêr,
Na dim am Fathemateg.
Dwi'm isio clywed am hen feirdd,
Na dysgu am ramadeg.
A dyna pam af lawr i'r dre
A chrwydro rownd y siopa
I osgoi diwrnodau diflas, hir,
A nhw a'r gwersi dwl 'na.

Valmai Williams

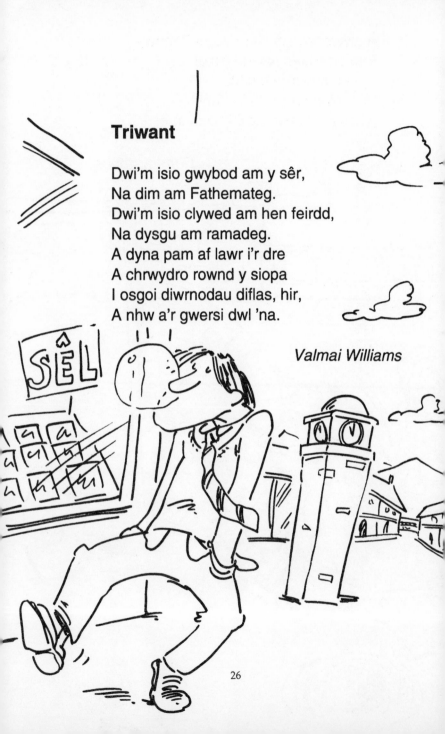

Athrawon

Yn eu stafell,
maen nhw wrthi
yn cynllwynio
eu trybini.

Swynion isel
cwfaint gwrachod
wrthi'n deor
rhyw erchylldod.

Chwerthin isel;
plentyn arall
wedi'i newid
yn hen fadfall.

Sbeitio, dychan
cas a chosbi;
giamstars ydynt
ar fychanu.

Ond un diwrnod,
doed a ddelo,
dial, dial:
caf fod yn athro.

Gwyn Morgan

Syr

Un dwl ydi Syr,
Ia, wir yr,
Thic? – 'di o'n gwbod dim.

Gofynnais iddo y dydd o'r blaen,
'I ble ma'r tywyllwch yn mynd
pan fyddwch chi'n cynnau'r gola?'
'Twt lol,' oedd ei sylw, a ches i mo'r ateb chwaith,
Dim ond – 'rŵan, ewch ymlaen efo'ch gwaith'.
Ia, wir yr,
Un thic ydi Syr,
'di o'n gwbod dim.

A phan ofynnais i iddo
'Ai ymlaen 'ta yn ôl
ma'r pry genwair yn mynd
wrth dwnelu'n yr ardd?' – 'Cwestiwn ffôl'
oedd ei ateb, a'i wyneb yn biws,
ac mi ddois i'r canlyniad – 'O, be 'di'r iws?'

Dwi'n dysgu dim yn yr ysgol 'ma, wir;
Un dwl ydi Syr,
Ia, wir yr,
a synnwn i ddim,
pan ddaw'r inspectors i'n hysgol ni
y bydd Syr yn ista'n y ddesg 'ma
lle rydw i.

O ia, un dwl ydi Syr,
Ia, wir yr,
Thic? – 'di o'n gwbod dim.

Selwyn Griffith

Mae'i wallt yn fyr fel draenog

Mae'i wallt yn fyr fel draenog,
ac mae'n felyn lle bu'n ddu,
ei dei o byth yn deidi,
mae o gyda'r bleraf sy.

Mae'n cnoi fel buwch mewn gwersi,
mae'n gollwng ambell reg,
dydi o byth yn canolbwyntio
na chwaith yn cau ei geg.

Mae weithiau'n hwyr i'r ysgol
heb ddweud y rheswm pam,
does byth 'run ymddiheuriad
na nodyn gan ei fam.

O edrych ar ei ddwylo,
mae ganddo fo datŵ,
ar groen ei fysedd blewog
mae *LOVE* reit drostyn nhw.

Mae clustdlws lachar ganddo,
horwth o beth di-lun . . .
ond fiw i'r plantos gwyno
am ei fod o'n athro'i hun.

Tudur Dylan Jones

Dyna'i gyd

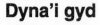

Mae gen i athrawes,
Hen gnawes o ddynes,
Sy'n marcio fy ngwaith i o hyd,
A byth yn trafferthu
Gwneud dim ond sgrifennu
'Rhaid gweithio yn well' – dyna'i gyd.

Rwyf fi'n ysgrifennu
Yn dwt, ac ymdrechu
I orffen fy ngwersi mewn pryd.
A'r cwbwl sydd ganddi
I'w ddweud yw'r hen stori,
'Rhaid gweithio yn well' – dyna'i gyd.

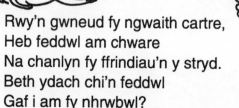

Rwy'n gwneud fy ngwaith cartre,
Heb feddwl am chware
Na chanlyn fy ffrindiau'n y stryd.
Beth ydach chi'n feddwl
Gaf i am fy nhrwbwl?
'Rhaid gweithio yn well' – dyna'i gyd.

32

Rwy'n darllen yn berffaith,
Gwneud syms heb ddim trafferth,
Rwy'n gwybod am wledydd y byd.
Ond gan fy athrawes
Yr un yw fy hanes,
'Rhaid gweithio yn well' – dyna'i gyd.

Pnawn ddoe roedd hi'n gweiddi,
'O diar, be wnaf fi
Â dosbarth sy'n dysgu dim byd?'
'Wel, gan bod chi'n gofyn,
Miss,' gwaeddais yn sydyn,
'Rhaid gweithio yn well – dyna'i gyd.'

Edgar Parry Williams

Distaw

Weithiau, mae distaw yn glên –
Fel distaw capel
A distaw bwrw eira;
Heddiw, mae distaw'n gas,
Oer, poeth, caled –
Distaw ARHOLIAD!

Heddiw, dydi ffrindiau
Ddim fel ffrindiau,
Mae pawb ar 'i ben ei hun –
Unig, dieithr, distaw;
Dim rhannu meddyliau,
Na chyfrinachau,
Na rhannu ofnau chwaith.

34

Mae 'nhroed i'n cysgu,
Rhaid imi symud fy nghadair;
'Shsh, distaw!'
Distaw hyll!
Rydw i'n mygu,
Rhaid imi dagu;
'Shsh, distaw!'
Distaw poeth!

Does neb yn cydymdeimlo –
Mae pawb mor brysur.
'Beth 'dach chi'n sgwennu?'
'Shsh, distaw!'
Distaw unig!

'Aros, aros mae gen i . . .
Syniad . . .
bach . . .
am stori . . .
yn deor . . . '
'Shsh, distaw!' –
Distaw clên!

Dorothy Jones

Distawrwydd, os gwelwch yn dda . . .

Mynd dros ben llestri'n y llyfrgell
Yr oedd Blwyddyn Pump un pnawn;
'TAWELWCH!' taranodd Miss Tomos –
A hynny yn UCHEL iawn!

Catrin Dafydd

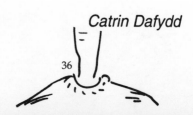

Gwisg ysgol

Dwi'n mynd i losgi
Fy ngwisg ysgol i,
Y tei, crys a'r sgert,
Mynd yno yn bert
Mewn jîns a *sweater*
'Run fath â Lisa,
'Run fath â Linda,
'Run fath â Julia.

Gwyn Morgan

Y drws sy'n 'cau cau

Oes gan dy gefnder gynffon?
Wyt ti'n perthyn i deulu'r ŵyn?
Oes gan dy daid ar ochr dy dad
Fodrwy yn ei drwyn?
A fydd dy fodryb yn brefu?
Oes cyrn ar ben dy fam?
Ydi cerddediad dy frawd a dy chwaer
Yn sŵn pedolau bob cam?
A fydd dy dad yn sefyll
Yn noeth yng nghanol y glaw?
A yw dy nain yn yfed o'r nant
Ac yn rowlio mewn mwd a baw?

Os 'Na' ydi'r ateb, mae'n amlwg
Na chest ti dy fagu mewn cae.
Pam felly, bob tro yr ei drwyddo,
Fod y drws yn 'cau cau?

Myrddin ap Dafydd

Lle mae'r gwaith cartref?

Mae gen i gylch esgusodion
Yn drobwll yn fy mhen,
Mae'n handi iawn eu cael nhw
Pan fydd wedi mynd i'r pen.

'Mae'r bochdew wedi'i fwyta,'
'Mae Mam 'di'i roi ar dân,'
'Mae rhywun wedi'i ddwyn e,'
'Ro'n i wedi blino'n lân.'

'Bu'r ci yn chwydu drosto,'
'O! Na! Mae ar y bws!'
''Sdim pensil 'da fi gartre,'
'Mae'n llawn o pw-pŵ pws.'

Ond wnaiff y rhain ddim llwyddo
I'ch arbed rhag cael cam
Os digwydd i'r athrawes
Fod neb arall ond eich Mam!

Gwyn Morgan

40

41

Ydi wir

Pe byddai corwynt nerthol
Yn chwythu'n hysgol ni
Ymhell i ebargofiant
'Rôl hanner awr 'di tri,
Buaswn i a'm ffrindiau i gyd
Yn mynd am adre'n ddigon clyd.

Mi fyddai'r hen brifathro
Rhwng breichiau'r gadair fawr
Yn segur yn ei swyddfa
Ynghwsg ers hanner awr,
A'r corwynt yn ei gario fry
Fel hediad brân dros ben ein tŷ.

42

Mi hoffwn weld y llyfrau,
Rhai diflas a di-lun,
Fel haid o adar drycin
Yn mynd i ffwrdd bob un,
A'r holl gadeiriau caled, oer
A'r desgiau ar eu taith i'r lloer.

Yr unig un sy'n bwysig
Ei chadw'n saff rhag cam
Yw'r ddynes yn y gegin –
Mae hi yn well na Mam
Am ffrio sglodion meddal, hir;
Mae'n werth ei chadw – ydi wir!

Edgar Parry Williams

Seibr ofod

'Mae 'ngwaith cartref i
ar goll
yn Seibr Ofod,
Syr.'

Dim esgusion diniwed mwyach:
dan y gath,
ddim wrth wely
y rhiant â'r haint,
ddim wrth arhosfan bws
yn chwifio yn y corwynt,
ddim wedi ei gipio
gan Ffantom-gipiwr Gwaith Cartref.

Ond bellach
mae'n cael taith anturus
am ddim
o amgylch
y We –

Awê!

Aled Lewis Evans

45

Gwers i'r athro

Fe weli di wên lond y stafell
O ddisgyblion deuddeg oed,
Ond o'th flaen mae 'na ddosbarth yn crio
Heb ddangos un deigryn erioed.

Weli di'r ferch sy'n eiste'n y gornel
Sydd byth yn dweud bw na be?
Mae 'na gang sy'n aros amdani
Bob tro y mae'n gadael y lle.

A'r un gafodd sylw bach pigog
Am wneud ei waith cartre ar frys,
Yw'r un sydd ag olion ei lysdad
Yn gleisiau ers ddoe dan ei grys.

Fe dalai i ti gofio wrth sefyll
Yn traethu dy iaith a dy lên
Fod 'na iaith nad wyt yn ei deall,
Fod 'na ofid tu ôl i bob gwên.

Tudur Dylan Jones

Hoffi'r ysgol? Ydw . . . ond . . .

Ydw, dwi'n hoffi'r ysgol,
Ac mae Mrs Jones yn grêt;
Mae'r cinio yn ardderchog,
O oes – mae gen i sawl mêt.

Dwi'n dda am sgwennu stori,
Tydi'r Saesneg ddim yn ffôl;
Pan ddaw hi'n bnawn chwaraeon,
Rwy'n ddiguro yn y gôl!

Ond O! mae gen i broblem
Sydd yn boen bob bore Llun!
'Rhen symiau pen yw rheiny –
Maen nhw bron â drysu dyn!

'Un afal am ddeg ceiniog,
Sawl ceiniog raid roi am dri?'
Bydd pawb â'u dwylo i fyny
Mewn chwinciad – pawb ond y fi.

. . . Pan fyddaf yn sgwad Cymru
Yn ennill Cwpan y Byd,
Dim ots am bris tri afal –
Mi bryna i'r siop i gyd!

Dorothy Jones

Codi arian

Ffair haf

Ymgyrch fawreddog i brynu cyfrifiadur,
Gyrrwr disgiau a modem ac E-bost siŵr iawn,
Disg i bob plentyn, argraffydd a rhyngrwyd,
Rhaglenni a gêmau – y gorau a gawn.

Casgliad

Ymgyrch i brynu ychydig o lyfrau,
Penseli a phapur a beiro neu ddwy,
Bydd croeso i'r cyfan draw, draw yn Lesotho,
Mae'r cwbwl yn werthfawr tu hwnt iddynt hwy.

Lis Jones

Cinio Ysgol

Dwi'n hoffi colslo –
Ond ddim efo cyrri;
Efo salad mae bitrwt i fod,
Ddim efo grefi.
Pysgodyn efo *chilli con carne*?
O na!
A phwy glywodd am neb yn
rhoi cwstard poeth
Am ben hufen iâ!

Mae'n well o lawer
Mynd â bocs bwyd o'r tŷ –
Mi gaf frechdan pry genwair
Efo gwaed chwilen ddu,
Coesau pry pric a chragen malwoden,
A thipyn o dywod a chynffon llygoden.
Bwyd blasus a maethlon,
Bocs bwyd diddorol,
Llawer iawn gwell
Na chinio ysgol.

Lis Jones

Map o drip yr ysgol i'r castell

Pan aethom i weld yr hen gastell,
Fan yma y parciwyd y bỳs
A'r tripwyr a ddaeth oddi arni
Heb lawer o ffwdan na ffỳs.

Yma, cyn codi'r tocynnau,
Y cawsom ni bregeth bob un:
'Mae'r castell 'ma'n safle peryglus;
Gofaled pawb drosto'i hun!

'Dwi ddim am weld pethau gwirion,
Dim dringo na rhedeg yn ffôl.
Iwan Preis! Os ei dros y dibyn
Fydd neb yn dod ar dy ôl!'

Fan hyn y collwyd y camera;
Miss Tomos a oedd yn ei ddal –
Aeth yn ôl yn rhy bell er mwyn cael llun gwell,
Aeth y camera (a hi) dros y wal.

Hwn ydi tŵr y prifathro
Lle mae'n sbecian bob dydd ar y byd;
Mi stwffiodd ei ben rhwng y barrau
Ac mae'n stỳc yn fan honno o hyd.

Y ffynnon yw hon, ac mae'n nodi'r
Lle d'wetha y gwelwyd Miss Lee;
Roedd yma'n ein canol un eiliad,
A'r nesaf – diflannu wnaeth hi.

53

A hon ydi ffos Mistar Davies,
Disgyn i mewn wnaeth y gŵr;
Ni welwyd dim mwy gan y dosbarth
Na bybls ar wyneb y dŵr.

Yma mae'r twnnel tan ddaear
Lle crwydrodd Miss Lucy Labbat;
Roedd wedi darparu'n ofalus,
Ond batris ei lamp aeth yn fflat.

Hwn ydi jêl Mistar Humphries –
Gobeithio ei fod yn O Cê;
Mi gaeodd y drws yma rywsut
A llithrodd y bollt 'nôl i'w le.

A hwn yw'r tŷ bach lle bu damwain
Rhwng drws y dyn bỳs a rhyw raff;
A ffor'ma y plant gerddodd adref,
Pob un yn ddiniwed a saff.

LLWYBR CYHOEDDUS

54

Gwyndaf Meirion

'Run fath â llynedd

Trip yr ysgol yn yr haf:
Unwaith eto, bwced a rhaw
A dillad glan y môr
A phistyllio bwrw glaw!

Catrin Dafydd

Dydan ni ddim yn credu mewn ysbrydion

Mi aethom mewn bỳs i blasty rhyfeddol
A chael hanes anhygoel y lle –
Ysbrydion heb bennau, rhai'n llusgo cadwynau
Ac un wedi'i wisgo â gwe.

Roedd yno sgerbydau, yn ôl yr hanesydd,
A monstars tu ôl i bob drws,
A Thylwythen Fach Deg nad oedd yn agor ei cheg
Dim ond eistedd ac edrych yn dlws.

Doedd neb o'n criw ni yn coelio'r fath rwtsh –
(Er bod yr athro ychydig yn wyn) –
Ond o'r holl bethau hynod a glywsom drwy'r diwrnod,
Y peth mwyaf anhygoel oedd hyn:

Aeth pum deg dau ar y bỳs yn y bore,
Mi gawsom ein cyfri yn iawn,
Ond roedd pum deg tri yn ei gadael hi
Pan ddaethom yn ôl yn y pnawn!

Huw Daniel

57

Breuddwydio yn y dosbarth

Mae fy meddwl ymhell
Er fy mod i fan hyn;
Mae yno le gwell,
Mae yno le gwyn;
Dim beiro na phapur
Na llaw yn yr awyr,
Na chwilio am ystyr
Na syllu yn syn.

Mae'r ffenest yn glir
A'r awyr yn iach;
Mae cwmwl braf, hir
Yn fy nghario o'm strach
I fyny i'r glesni
O gyrraedd y gwersi;
Does neb yno'n holi
Na mwydro 'mhen bach.

Mae'r symiau'n pellhau
A'r sgwennu'n ddim byd;
Pob llyfr wedi'i gau,
Pob athro yn fud;
Rwy'n nes at yr heulwen
Uwch canopi'r dderwen,
Bron cyffwrdd â seren
Ac yn codi o hyd.

Mae'r cwmwl mor hardd,
Mor feddal, mor lân,
Rwyf innau yn fardd
Ynghanol y gwlân;
Mae sŵn y tawelwch
I'm clustiau yn harddwch
A lluniau'r llonyddwch
Yn enfys o gân.

Yn sydyn, daw bys
Reit at flaen fy nhrwyn,
Rwyf innau yn chwys
Pan glywaf y gŵyn:
'Ymhle mae dy feddwl?'

Beth pe dwedwn i'r cwbwl
Am daith ar y cwmwl
I'r man melys, mwyn?

Catrin Dafydd

Paid

Paid rhedeg tu fewn i'r ysgol,
Paid rhoi dy dei yn gam,
Paid colli diwrnod ysgol
Heb nodyn gan dy fam.

Paid bwyta yn y dosbarth,
Paid lliwio gwallt yn binc,
Paid mynd o'r wers arlunio
Heb olchi rownd y sinc.

Paid cerdded efo ffrindiau
Ar y dramwyfa'n haid,
Paid byth, beth bynnag wnei di,
Â dweud wrth athro 'Paid'!

Paid byth â pheidio siarad
Ag athro wrth ei waith,
Ond paid, a phaid byth bythoedd,
Ag ateb 'nôl ychwaith.

Am unwaith, yn lle clywed
Y pen yn gweiddi 'NA!'
Gwell clywed gan y galon
Un gair yn annog 'GWNA'.

Tudur Dylan Jones

61

Heddiw, fory a dydd Iau

Heddiw
Rhaid bod yn dda,
Dyna bla!
A gwisgo tei
Heddiw, fory a dydd Iau!
(Wel am slei.)
Dim ffraeo, paffio
Na chopïo
Heddiw, fory na dydd Iau,
Be wna i?
Dim iws anghofio
Pres nofio,
Dim gwthio
I'r ciw cinio;
Neb i regi
Wrth chwarae rygbi
Heddiw, fory na dydd Iau!

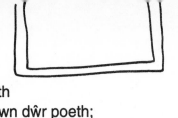

Atebwch yn ddoeth
Neu byddwch mewn dŵr poeth;
Dim cartŵns gwirion
Ar y cyfrifiaduron.
Www, Miss –
Treinars newydd?
Wps sori! roedd hwnna'n gelwydd –
Dim ond pâr o hen rai
Wedi'u glanhau
At heddiw, fory a dydd Iau!

. . . Ond – beth am ddydd Gwener?
O wel! Mae hynny AR ÔL
YR AROL-WG!

Dorothy Jones

Prifathro mewn ffair

Mae'r ffair sy'n dod i'r dre
bob hydre'n hwyl a hwrê,
ond eleni, pwy sy'n y lle?
O na! Y prifathro . . .

Ar stondin ennill balŵn
mae terfysg fel teiffŵn . . .
'Oes rhaid gwneud cymaint o sŵn?'
hola'r prifathro.

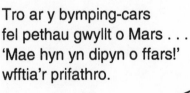

Tro ar y bymping-cars
fel pethau gwyllt o Mars . . .
'Mae hyn yn dipyn o ffars!'
wfftia'r prifathro.

Sbin go dda ar *Mad Max*,
stumogau a nerfau'n racs . . .
'Sut mae sillafu *knick-knacks*?'
yw cwestiwn y prifathro.

Mae ciw'r hot-dogs yn ddi-drefn
a chlywaf y llais drachefn . . .
'Bihafiwch yn y cefn!'
(y prifathro!)

Trên Sgrech, neb yn cael braw . . .
Ond yna, o'r tywyllwch, daw . . .
'Pawb yn ei wely cyn naw!'
– rhybudd y prifathro.

*

Am hanner awr wedi tri,
o'r ysgol – i ffwrdd â ni
a hawdd ei hanghofio hi . . .
Nid felly'r prifathro.

Myrddin ap Dafydd

65

'Ysgol? – Ych!'

Dwi ddim yn hoffi'r ysgol,
Dwi ddim yn hoffi'r plant,
Na gwersi hir undonog
yn sôn am Dewi Sant;
Dwi ddim yn hoffi cyfri
Na gwersi Saesneg chwaith,
Ac am y gwersi daearyddiaeth –
Oes unrhywbeth yn waeth?

Mae'r oriau hir yn llusgo
Ac mae'n ffrindiau i gyd tu fas,
A finnau'n gorfod gwitho'n hwyr
gydag deg o blant bach cas.

Mae'n anodd iawn egluro pam
Nad wy'n mwynhau fy hun –
'Chweld, fi yw y PRIFATHRO
A chi gyd yn 'neud fi'n FLIN!

Dewi Pws

Y graith

Mae Nain yn sôn am y dyddiau fu
Ymhell bell bell yn ôl
Pan nad oedd ysgol bentref iawn
Ond tân a desg a stôl.
Roedd rhaid cael ceiniog loyw lân
I'r Sgwlyn bob dydd Llun,
I dalu am y gwersi drud
Neu gartref âi pob un.

Saesneg oedd iaith pob gwers i Nain
Ac iaith ei hamser rhydd,
Er na wyddai'r plant hi'n rhugl iawn:
Cymraeg oedd iaith pob dydd,
A barnwyd plant y fro yn hurt
Am fethu gwneud eu gwaith;
Mae Nain yn dal i ddweud o hyd
Mai ni sy'n gwisgo'r graith.

Carys Jones

Ddoe a Heddiw

Erstalwm
Safai Miss Jones yn broper a di-wên
O flaen rhesi o ddelwau,
Yn rhythu a gwgu,
Ei chansen wrth law
I'r disgyblion sy'n baglu wrth adrodd unwaith eto
Twice two is four,
Neu adnod ar ôl adnod o'r Beibl Mawr.

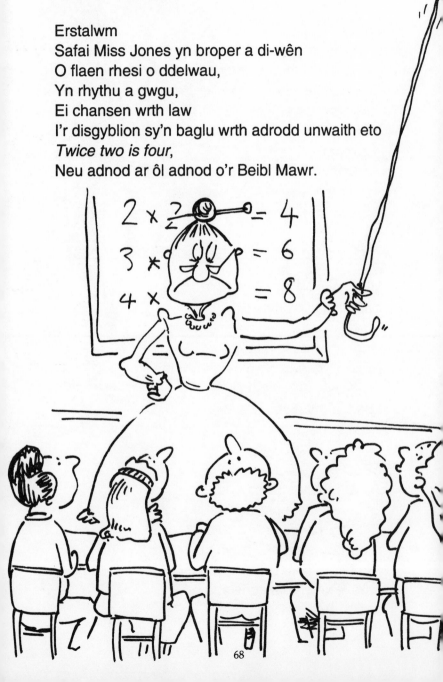

Heddiw
Mae *Ms* Jones yn ei throwsus Next
Yn cael paned yn y tŷ bach twt,
Yn gwneud jeli oren,
Yn chwarae Lego,
Yn canu gitâr
Yn cicio pêl,
Yn mwynhau pizza i ginio,
Yn mynd â ni am drip i Macdonalds –
A ninnau'n codi llaw arni cyn mynd adref.

Zohrah Evans

69

Wnes i ddim byd

Mae'r hogyn newydd
Yng nghornel y cae,
Ei gefn ar y ffens:
Un yn erbyn dau.

Rwyf i efo'r gweddill
Yn gwylio o draw,
Heb fod yn fwli,
Heb gynnig help llaw.

Mae ei ddiwrnod cyntaf
Drosodd yn awr,
Ond rhyngddo ac adref
Mae dau hogyn mawr.

Safaf a gwylio
Y ddau'n dewis un
Sy'n gorfod sefyll
Ar ei ben ei hun.

Yn fy mreuddwyd heno
Rwy'n croesi'r cae,
Yn ochri efo'r un
Yn erbyn y ddau.

Ond yma, heddiw,
Heb ddwrn na help llaw,
Rwyf i efo'r gweddill
Yn cadw draw.

Huw Daniel

71

Y gloch olaf

Mae cythru am lyfrau a phethau sgwennu,
dwylo'n ffarwelio ac athrawon yn gwenu;

mae straglars i'w gwthio, cotiau i'w bachu,
bagiau i'w cario dan fustachu;

mae byffalos yn taranu 'hyd coridorau,
gyrr o eliffantod yn mynd am y gorau;

mae ymladd am awyr, ymdrechu am wynt
a cheisio'r symudiad i symud yn gynt;

mae tudalen newydd i'w throi yn y stori,
dianc yn galw, cadwynau'n torri;

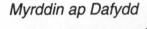

mae taith i'w ehedeg, bysys i'w dal
a rhyddid yw chwalu pob pedair wal

am hanner awr wedi tri
yn ein hysgol ni.

Myrddin ap Dafydd

Be wnest ti yn yr ysgol heddiw?

Ymm . . .
Gest ti hwyl ar dy symiau?
Bore oedd hynny!
Fuoch chi'n sgwennu?
M . . . mae'n siŵr . . .
Am be?
Dwi ddim mor siŵr . . .
Ddaeth 'na rywun i'ch gweld i'r ysgol heddiw?
Dwi ddim yn meddwl.
Be gest ti i ginio?
Be ges i hefyd?
Ydi dy lyfr darllen gen ti'n saff?
Yndi.
Lle mae o?
Yn fy mag i.

Lle mae hwnnw?

Dwi 'di'i adael o yn yr ysgol.

Oes gen ti ddim gwaith cartref?

Dydi o ddim fod i mewn tan ddydd Llun.

Gawsoch chi hanes, daearyddiaeth, gwyddoniaeth heddiw?

Dydi rheina ddim yn canu cloch.

Wel, be oedd y wers olaf un, 'ta?

O! Mae hi ar flaen fy nhafod i! O!

Fuoch chi'n tynnu llun?

Ymm . . .

Fuoch chi'n canu?

Ymm . . .

Fuoch chi ar daith natur?

O! Dwi'n cofio rŵan!

Be?

Mi gawson ni *chips* i ginio.

Myrddin ap Dafydd

75

Ysgol Rhyd-y-Cawr

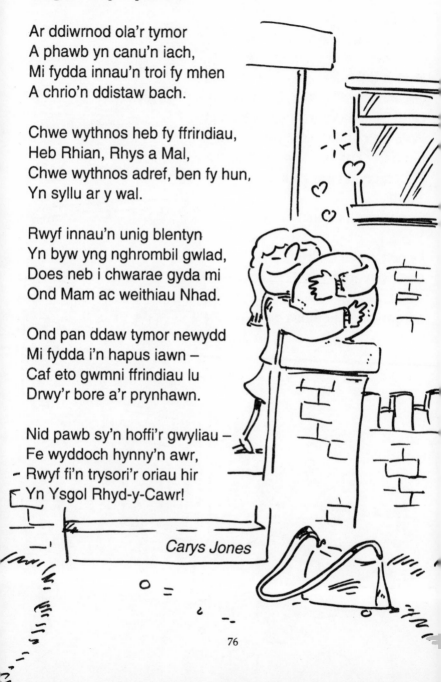

Ar ddiwrnod ola'r tymor
A phawb yn canu'n iach,
Mi fydda innau'n troi fy mhen
A chrio'n ddistaw bach.

Chwe wythnos heb fy ffrindiau,
Heb Rhian, Rhys a Mal,
Chwe wythnos adref, ben fy hun,
Yn syllu ar y wal.

Rwyf innau'n unig blentyn
Yn byw yng nghrombil gwlad,
Does neb i chwarae gyda mi
Ond Mam ac weithiau Nhad.

Ond pan ddaw tymor newydd
Mi fydda i'n hapus iawn –
Caf eto gwmni ffrindiau lu
Drwy'r bore a'r prynhawn.

Nid pawb sy'n hoffi'r gwyliau –
Fe wyddoch hynny'n awr,
– Rwyf fi'n trysori'r oriau hir
Yn Ysgol Rhyd-y-Cawr!

Carys Jones